**x**

**x**-ray

Mary Jones
6 years old

**y**o-yo

**y**acht

**y**ak

**y**

**z**ipper

**z**oo

**z**

**z**ebra

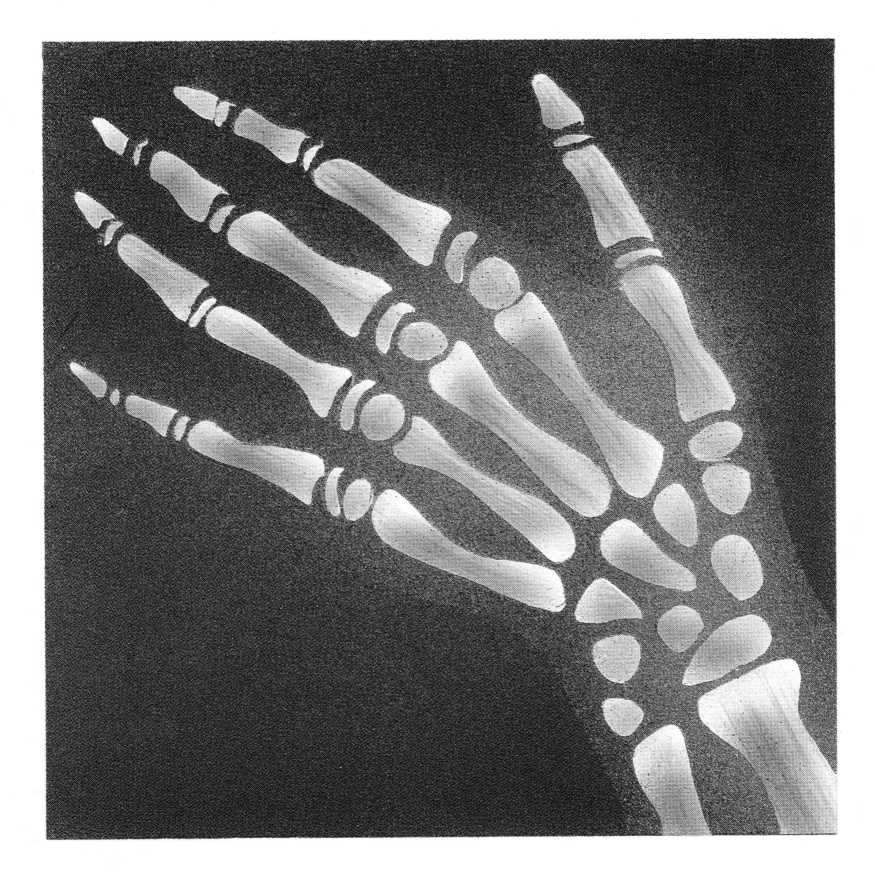

**x** for **x**-ray

**x** for **x** in bo**x** and fo**x**

# y for yellow

**y** for **y**o-**y**o
and a **y**ellow **y**acht

**z** for **z**ebra

**z** for **z**ebra
at the **z**oo

A fox wearing sox is hiding in a box.

Here is a yak, hairy and black.

Zoom, zoom, zoom— we are going to the moon.